Gullivers
Taschenbücher
Band

CW00419834

Peter Härtling

Sofie
macht Geschichten

Bilder von Jutta Bauer

BELTZ
& Gelberg

Peter Härtling, geboren 1933 in Chemnitz, lebt in Walldorf/Hessen.
Er veröffentlichte Lyrik, Erzählungen, Romane – u. a. *Hölderlin.*
Seine Kinderbücher wurden mehrfach ausgezeichnet.
Für den Kinderroman *Oma* erhielt er 1976 den Deutschen
Jugendbuchpreis. Im Programm Beltz & Gelberg sind bisher erschienen:
Das war der Hirbel, Oma, Theo haut ab, Ben liebt Anna, Sofie macht Geschichten,
Alter John, Jakob hinter der blauen Tür, Krücke, Geschichten für Kinder,
Fränze, Mit Clara sind wir sechs sowie das Bunte-Hund-Sonderheft
Peter Härtling für Kinder.

Jutta Bauer, geboren 1955 in Hamburg, studierte an der Fachhochschule für
Gestaltung in Hamburg. Sie veröffentlichte Buchillustrationen, eine
Comic-Serie in der Zeitschrift »Brigitte« und (bisher) ein Bilderbuch.

Gullivers Bücher (28)
© 1980, 1987 Beltz Verlag, Weinheim und Basel
Programm Beltz & Gelberg, Weinheim
Alle Rechte vorbehalten
Reihenlayout und Einband von Wolfgang Rudelius
unter Verwendung einer Illustration von Jutta Bauer
Gesamtherstellung Druckhaus Beltz, 6944 Hemsbach
Printed in Germany
ISBN 3 407 78028 1
6 7 8   95 94 93 92

In diesem Buch machen mit:

Sofie. Sie ist noch nicht ganz sieben und geht in die erste Klasse.

Klemens. Er ist Sofies Bruder und zehn.

Sofies Mutter. Sie ist Lehrerin. Aber nicht an Sofies Schule.

Sofies Vater. Er arbeitet beim Wasserwerk.

Frau Heinrich. Sie ist Sofies Lehrerin.

Katja und *Olli.* Sie sind Sofies Freunde und gehen in ihre Klasse.

Und viele andere Kinder und Erwachsene.

Sofie, Klemens,
Vater und Mutter stehn auf

Sofie schläft gern lange.
Aber sie muß früh in die Schule.
Also muß sie früh aus dem Bett.
Im Winter ist es draußen noch finster.

In Sofies Familie stehn alle früh auf.
Sofies Mutter ist zuerst dran. Sie weckt alle.
Sofies Vater brummt und rasiert sich im Bad.
Sofies älterer Bruder Klemens brummt auch.
Bloß leiser als Vater.
Sofie brummt erst gar nicht. Sie schläft im Gehen
und Stehen weiter.

»Trink deinen Kakao, Sofie«, bittet Mutter.
»Trinkt euern Kaffee«, sagt sie zu Vater und
Klemens.
Nur Mutter redet und rennt rum.
Sofie sagt kein Wort. Sie hört Vater und Klemens
beim Brummen zu.
Vater steht auf und hört auf zu brummen.
»Tschüs«, sagt er und geht.
Jetzt fängt der Tag an.

Sofie vergißt eigentlich nichts

Sofies Mutter ist Lehrerin.
Aber nicht in Sofies Schule. Und auch nicht in der
Schule von Klemens.
»Das ist besser so«, sagt Sofies Mutter. »Zu euch
müßte ich nur strenger sein als zu den andern
Kindern.«

Manchmal bringt sie Sofie mit dem Auto zur
Schule.
Das findet Sofie gar nicht so gut. Denn dauernd
fragt Mutter: »Hast du auch nichts vergessen? Das
Schreibheft? Den Zeichenblock?«

Sofie bläst die Backen auf und sagt: »Ich hab'
alles.«

Aber heute brüllt sie: »Aua, mein Zeichenblock!«
Rums! Mutter bremst und dreht eine tolle Kurve.
»Wir schaffen es noch!« sagt sie.
Sofie rennt die Treppe rauf und holt den
Zeichenblock.
Nach einer Weile sagt Mutter: »Du könntest auch
danke sagen.«
Sofie schüttelt den Kopf.
Mutter staunt. »Du bist ganz schön frech.«
»Gar nicht«, sagt Sofie.
»Wegen dir hab' ich den Block vergessen. Weil du
immer gefragt hast. Da denk' ich dann nicht mehr
dran.«
»Vielleicht hast du recht«, sagt Mutter.

Die Eisbahn

Es hat geschneit und gefroren.
Frau Heinrich fragt die Kinder: »Wer kann eine
Schneegeschichte erzählen?«
»Ich!« ruft Sofie. »Aber eine Eisgeschichte.«
»Erzähl mal«, sagt Frau Heinrich.
Sofie erzählt:
»Also, der Olli und ich und die Katja haben vor
dem Haus eine Rutschbahn gemacht. Mit Wasser.
Wir haben Wasser geholt und auf den Weg
geschüttet. Das Wasser ist Eis geworden, und wir
haben gerutscht.

Plötzlich ist eine Frau auch gerutscht. Schwupp.
Und ein Mann. Schwupp. Die haben geschimpft!
Wir haben gelacht.
Die haben noch lauter geschimpft. ›Ihr müßt
streuen!‹ hat der Mann gesagt.
Olli hat Sand geholt, und wir haben gestreut.
Katja hat beinahe geheult. ›Jetzt können wir nicht
mehr rutschen!‹
Ich hab' Wasser geholt und auf den Sand gegossen.
Da ist Mutter gekommen. Sie hat gefragt: ›Was
macht ihr denn da?‹
Olli hat gesagt: ›Wir streun.‹
Ich hab' gesagt: ›Wir machen eine Rutschbahn.‹
Mutter hat gesagt: ›Eine Streurutschbahn geht
nicht. Hier streuen wir, und auf dem Spielplatz
machen wir eine Rutschbahn.‹
›Aber wir haben die Streurutschbahn erfunden‹,
schreit Olli.«

Olli gibt an

Dicht bei der Schule ist ein Laden.
Olli sagt: »In der Pause kaufe ich den Laden leer.«
Sofie lacht und sagt: »Du gibst bloß an!«

In der Pause geht Olli los.
Sofie geht mit. Das will sie sehn: Wie Olli den
Laden leerkauft.
Olli stellt sich an den Ladentisch.
Er stottert vor Aufregung.
»Also, 12 Kaugummis«, sagt er. »Und und
6 Rollen Lakritz und dann, und dann 2 Tafeln
Schokolade und noch, und noch 6 Dosen
Seifenblasen.«
»Ist das alles?« fragt der Kaufmann.
»Alles«, sagt Olli ziemlich laut.
Der Kaufmann rechnet und sagt:
»9 Mark 60 macht das.«
Olli stottert noch mehr:
»Aber aber aber ich habe bloß 90 Pfennig.«
Der Kaufmann schiebt neun Kaugummis über
den Tisch und sagt: »Die kannst du dafür haben.«
Olli rennt aus dem Laden. Sofie rennt ihm nach.
»Sag bloß nichts«, schreit Olli.
Sofie sagt lieber nichts.

Sofie mag Jeans

Am liebsten hat Sofie Jeans an.
»Warum immer die Jeans?« stöhnt Mutter. »Du
hast so schöne Kleider.«

»Jeans sind prima«, sagt Sofie. »Bei Kleidern muß
ich immer aufpassen. Bei Jeans nicht.«

Meistens krempelt Sofie die Hosenbeine hoch. Bis
zum Knie.
Weil sie dünne Beine hat, hält das nicht richtig.
Dauernd rutscht ein Hosenbein runter.
Ein Hosenbein oben. Eins unten.
Und dauernd krempelt Sofie ein Hosenbein wieder
hoch und schimpft.
Dann wird es ihr zuviel, und sie schreit:
»Ist mir auch egal!«

Sie sieht aus wie ein Storch.
Aber wie ein Storch mit einem dicken und einem
dünnen Bein.

Sofie und Vaters Wasserwerk

Sofies Vater arbeitet im Wasserwerk.
Das Wasserwerk sorgt dafür, daß sauberes Wasser
aus den Hähnen kommt.

Einmal ist kein Wasser gekommen.
Es war am Abend.
Vater schimpfte und mußte wieder ins Werk.
Sofie brauchte sich nicht richtig zu waschen.
Die Zähne putzen mußte sie auch nicht.
Sie fand es prima.
Sofie wäscht sich nicht gerne.

Am nächsten Abend sagt Vater:
»Das ganze Viertel war ohne Wasser. Ihr könnt
euch nicht denken, was da los war. Die Leute
haben uns dauernd angerufen und geflucht.«
»Kann dein Wasserwerk nicht noch mal kaputt
sein?« fragt Sofie.
»Das fehlt gerade noch«, stöhnt Sofies Vater.
»Bloß abends, sonst nicht«, sagt Sofie.
Mutter weiß, warum: »Weil die Sofie sich dann
nicht waschen muß. Stimmt's, Sofie?«
Sofie weiß nicht, was sie antworten soll.

Sofie kocht Pudding

Wenn Klemens Hunger hat, macht er sich
Pudding.
Erst war Mutter dagegen.
Jetzt läßt sie ihn. Nur muß er das Geschirr wieder
selber abwaschen.
Sofie schaut Klemens manchmal beim Kochen zu.
Er schüttet Pulver in einen Krug mit Milch.
Dann hält er den elektrischen Rührer rein. Der
rattert toll.
Und gleich ist der Pudding fertig.

Nun will sie sich auch Pudding machen.
Sie ist allein zu Hause.
Mutter hat gesagt: »Ich komme erst gegen
Abend.«
Und Klemens ist bei einem Freund.
Sofie holt den Krug, gießt Milch rein.
Dann schüttet sie das Pulver dazu.
Der elektrische Rührer ist ziemlich schwer. Sie
muß ihn mit beiden Händen halten.
Sie drückt auf den Knopf: Ratsch, geht er los.
Sofie kann den Rührer nicht richtig halten.
Darum rührt er auch den Krug mit.

Sofie will den Krug festhalten.

Da muß sie aber den Rührer loslassen.

Es geht alles ganz schnell.

Erst stellt sich der Krug schräg, dann fliegt der
Pudding in der Küche rum.

Schwapp! Schwapp!

Ehe Sofie drauf kommt, daß man den Rührer
auch abstellen kann, ist der Pudding in der ganzen
Küche verteilt.

Auf dem Boden.

An den Wänden.

Am Schrank.

Sogar an der Decke.

»Affenmist«, murmelt Sofie.

Zuerst leckt sie die Finger ab.

Danach fängt sie an zu putzen.

Soviel Pudding kann gar nicht in dem Krug
gewesen sein. Überall entdeckt sie neue Spritzer.

Als Mutter nach Hause kommt, ist Sofie eben
fertig mit der Säuberung.

Nach dem Abendessen ruft Mutter aus der Küche:
»Ich glaub', wir haben Schimmel an der
Küchendecke.«

»Verflixt«, sagt Vater. Er rennt in die Küche und schaut zur Decke hinauf.

Nachdem er eine Weile geguckt hat, stellt er fest: »Das sieht nicht aus wie Schimmel.«

»Was ist es dann?« fragt Mutter.

Sofie sagt kein Wort.

Vater steigt auf einen Stuhl, kratzt an dem Fleck. Er riecht an seinem Finger. Leckt vorsichtig dran.

»Ich glaub', das ist Pudding«, sagt er.

»Das gibt's doch gar nicht.« Mutter ist ganz durcheinander. Pudding an der Decke!

Sofie sagt kein Wort.

»Vielleicht hat der Klemens zu heftig gerührt«, meint Vater.

»Nein«, widerspricht Klemens.

»Dann war's der Hausgeist«, sagt Vater.

Jedesmal, wenn was passiert, an dem niemand dran schuld sein will, sagt Vater: »Unser Hausgeist war's.«

Sofie ist es auch lieber, daß der Hausgeist mit Pudding in der Küche herumgeschmissen hat.

Im Zoo

Sofie ist mit Vater und Klemens im Zoo.
Sie weiß schon eine Menge von den Tieren.

»Erst zu den Bären«, bittet Klemens.
»Erst zu den Affen«, bestimmt Sofie.
Vater denkt nach und sagt: »Zuerst gehn wir zu
den Affen. Die liegen am Weg.«
»Hähä!« Sofie hopst hoch und lacht. »Der Papa
meint, die Affen liegen am Weg. Die liegen am
Weg!«
Vater sagt verlegen:
»So meine ich das nicht. Wenn wir diesen Weg
gehn, kommen wir zuerst zu den Affen.«
Sofie kreischt. »Und da liegen die Affen am Weg
und schlafen!«
Vater ärgert sich. »Jetzt hör schon auf, Sofie!«

Sie stehen vor dem Affenhaus und gucken den
Affen beim Spielen zu.
Sofie brüllt: »Guten Tag, du Affe!«
Papa zuckt zusammen.
Ein anderer Mann zuckt auch zusammen.
Zwei Frauen drehen sich zu Sofie um.

Vater zieht Sofie weg und sagt leise:
»Affen begrüßt man nicht. Sie können ja nicht
antworten.«
Sofie sagt: »Dann ist Herr Schneider auch ein
Affe.«
Vater sagt: »Na, hör mal! So etwas kannst du doch
nicht sagen.«
Aber Sofie bleibt dabei. »Der antwortet auch
nicht, wenn ich guten Tag sage. Also ist er ein
Affe.«
Jetzt lacht Vater endlich.

Sofie ist ängstlich

Sofie ist nicht da.
Frau Heinrich fragt:
»Wer kann mir sagen, wo Sofie ist?«
Keiner kann das.

Die Kinder lesen.
Da meldet sich Katja:
»Ich muß mal raus!«
»Sei bitte leise. Sonst störst du.«
Katja tippelt auf Zehenspitzen und macht die Tür
leise hinter sich zu.

Auf dem Flur steht Sofie und guckt vor sich hin.
»Sofie, was machst denn du hier?« fragt Katja.
»Ich bin zu spät gekommen. Jetzt warte ich, bis
Pause ist. Das stört sonst.«
Katja sagt: »Ich muß mal. Ich bin gleich zurück.
Dann gehn wir zusammen rein.«

Olli kann auch schwimmen

Sofie und Olli streiten.

»Ich kann schwimmen«, sagt Sofie. »Du aber nicht.«

»Ich kann tauchen«, brüllt Olli.

»Tauchen ist nicht schwimmen«, brüllt Sofie zurück.

»Aber ich schwimme unterm Wasser«, sagt Olli.

»Das kannst du nicht lange«, stellt Sofie fest.

»Doch«, sagt Olli. »Hunderte Meter.«

»Du lügst«, schreit Sofie. »Du lügst ganz furchtbar.«

»Nein!«

»Aber du kannst nicht atmen«, sagt Sofie.

»Das mach' ich nach dem Schwimmen«, erklärt Olli.

»Aber du kannst doch nur tauchen.« Sofie ist rot vor Wut.

»Und schwimmen«, brüllt Olli.

»Aber nicht atmen«, schreit Sofie und rennt weg.

Sofie setzt sich auf ein Marmeladenbrot

Olli und die anderen Jungen müssen Sofie
nachrennen.
Keiner kriegt sie.
Nun ist sie müde.
Sie setzt sich auf die Mauer.
Das tut sie oft. Da sitzt sie gut.
Jetzt sitzt sie schlecht. Sie sitzt weich und klebrig.
Sie steht auf und guckt.
Ein Marmeladenbrot! Ihre Hose klebt.

In der Klasse setzt sie sich nicht hin.
Frau Heinrich fragt: »Warum bleibst du stehn,
Sofie?«
Sofie sagt: »Ich habe Marmelade am Popo.«
Alle lachen.
Frau Heinrich putzt die Hose mit einem nassen
Lappen.
Sie sagt: »Eine nasse Hose ist nicht schlimm. Aber
Brot liegenlassen, das ist schlimm.«

Sofie setzt sich hin. Ganz vorsichtig.

Sofie hat Angst um Klemens

Zum ersten Mal hat Sofie große Angst.
Klemens liegt im Krankenhaus.
Er muß sehr krank sein.
Vater und Mutter sind traurig und reden kaum.
Alles ist ganz anders, wenn Klemens nicht da ist.
Die Wohnung ist leerer und leiser.
Sofie merkt plötzlich, wie lieb sie den Klemens hat.
Auch wenn er sie oft hänselt und nicht immer mit
ihr spielen will.
Sie möchte ihn im Krankenhaus besuchen.
»Das geht noch nicht«, sagt Mutter.
Klemens hat eine Blutvergiftung im ganzen
Körper. Es wird eine Weile dauern, bis er wieder
gesund ist.

Sofie denkt sich aus, was sie Klemens schenken
könnte, wenn er wieder nach Hause kommt.
Nach zwei Wochen darf sie ihn ganz kurz
besuchen.
Klemens ist dünn und blaß und hat keine laute
Stimme mehr.
Er flüstert bloß noch.
Sofie weiß nicht, was sie mit ihm reden soll.

Sie hat ihm ein Heft über Modellflugzeuge
gebracht.
Darüber freut er sich.
Dann kann sie ihn öfter besuchen, zusammen mit
Mutter und Vater.
Die Stimme von Klemens wird wieder lauter.
Bald ist er wieder der Klemens, den sie kennt.
Er nennt sie auch wieder Tranfunzel.

Als er nach Hause kommt, nimmt sie sich vor,
besonders lieb zu ihm zu sein.
Doch schon am ersten Abend latscht er über die
Tierwiese, die sie aufgebaut hat.
Sie schreit: »Du Blödmann, paß doch auf!«
Mutter ruft in den Krach hinein:
»Du wolltest doch nett zu ihm sein, Sofie.«
»Wenn der mir aber alles versaut.«
Vater guckt sich den Schaden an und sagt:
»Laß die Kinder. Wenn die sich schon wieder so
anbrüllen, ist alles in Ordnung.«

Sofie hat einen Vogel

Sofie streckt den Finger und sagt: »Frau Heinrich, ich hab' einen Vogel!« Die ganze Klasse lacht.
»Wirklich?« fragt Frau Heinrich.
»Wirklich!« ruft Sofie zurück.
Die Klasse lacht noch lauter.
Sofie denkt wütend: Ich muß das anders sagen.
Und sie sagt: »Mein Vater hat mir einen Vogel geschenkt.« Jetzt lachen nur noch ein paar.
Das sind die, die über jeden Quatsch lachen.
»Was ist es denn für einer?« fragt Frau Heinrich.
»Ein Muskatfink. Er ist klein, hat lauter Punkte auf der Brust und wohnt sonst in Australien.«
»Prima«, sagt Frau Heinrich. »Aber du siehst, es ist gar nicht einfach, über Vögel zu reden. Vor allem, wenn man einen hat.«
Endlich kann die Sofie mitlachen.
Nun wissen alle, daß sie einen Vogel hat. Aber einen richtigen!

Sofie will nicht fragen

Frau Heinrich sagt: »Lest bis morgen die Seite fünfzig im Lesebuch.«
Sofie hat nicht aufgepaßt.
Sie denkt: Was soll ich lesen?

Als Mutter nach Hause kommt, weint Sofie.
»Was ist denn los?« fragt Mutter.
Sofie sagt: »Ich weiß nicht, was ich aufhabe.«
»Dann frag doch den Olli.«
»Nein!« schreit Sofie. »Der denkt dann, ich bin dumm.«
»Oder frag Katja.«
»Ich bin doch nicht blöd. Die will immer allein lernen.«
»Ganz allein kann man nicht lernen«, sagt Mutter.
Sofie knallt die Tür hinter sich zu.
Aber dann läuft sie doch zu Katja.
Sie fragt: »Was müssen wir lesen?«
»Die Seite fünfzig«, sagt Katja.
Erst liest Katja. Dann liest Sofie.
Sofie liest laut. Katja liest noch lauter.
Es macht Spaß.

Wegen Sofie darf die ganze Schule malen

Sofie kauert in einer Ecke des Schulhofs.

Sie hat ein paar bunte Kreiden und bemalt den Boden.

Zuerst hat sie ein großes Viereck gezogen, in das niemand hineintreten darf.

Jetzt malt sie ein Mädchen mit einem langen Kleid.

Dann einen Baum.

Dann ein sehr kleines Haus. Und in die Ecke links oben eine Sonne.

Die Sonne ist größer als das Haus.

Ein älterer Junge guckt ihr eine Weile zu.

Plötzlich tritt er auf die Sonne.

Sofie brüllt: »Du bist gemein. Du machst mir meine Sonne kaputt.«

Der Junge schabt mit dem Schuh.

Sofie hält sein Bein fest.

Er tritt sie. Sofie fängt an zu weinen.

Der Junge rennt weg.

Frau Heinrich hat Pausenaufsicht. Sie bemerkt, daß Sofie weint.

»Was ist denn los?« fragt sie. »Hat dir jemand weh getan?«

»Nein«, antwortet Sofie. »Der Arsch ist mir in meine Sonne getreten.«

»So etwas sagt man nicht.«

»Wenn er aber einer ist.«

Frau Heinrich legt den Kopf schief und schaut das Bild an.

»Das ist hübsch. Das gefällt mir.«

Sofie ist stolz.

»Das darf man nicht kaputtmachen«, sagt sie.

Frau Heinrich nimmt sie an der Hand und erklärt ihr:

»Auf dem Schulhof dürfen alle Kinder spielen. Und wenn bloß zwanzig Kinder malen, haben die andern zu wenig Platz. Außerdem wird der Regen dein Bild wegwaschen.«

Sofie nickt. »Das ist klar.«

Frau Heinrich bleibt stehen und drückt mächtig Sofies Hand.

»Ich hab' einen Einfall! Beim nächsten Schulfest darf der ganze Schulhof bemalt werden. Von allen Kindern, die es wollen.«

»Doll!« Sofie ist einverstanden.

Nur möchte sie das größte Eck für ihr Bild.

Frau Heinrich sagt: »Das müßt ihr unter euch ausmachen.«

Zu Hause erzählt Sofie:
»Weil ich auf dem Schulhof gemalt habe, dürfen
jetzt alle malen. Bloß wegen mir. Bloß weil dieser
Arsch auf mein Bild getreten ist.«
»Sag doch so was nicht«, mahnt Vater.
»Wenn er aber einer ist«, sagt Sofie.

Schimpfeln

Sofie steht mitten auf dem Schulhof.
Die Kinder rennen um sie herum.
Sofie ist ganz rot im Gesicht.
Sie hat eine riesige Wut. Katja und Olli wollen
nicht mit ihr spielen.
»Ihr blöden Hornochsen!« schreit sie.
Sie schreit es ein paarmal hintereinander.

Frau Heinrich kommt auf sie zu.
Sofie ist es egal. Ihre Wut ist wichtiger als Frau
Heinrich.
»Fluch doch nicht so, Sofie«, sagt Frau Heinrich.
»Das ist häßlich.«
»Aber die lassen mich nicht mitspielen«, schreit
Sofie.
»Dann mußt du mit ihnen reden.«
»Das tu ich doch«, sagt Sofie.
»Nein, du brüllst und schimpfst.«
Sofie blinzelt Frau Heinrich nachdenklich an.
Auf einmal sagt sie ganz leise: »Die blöden
Hornochsen! Die blöden Hornochsen!«
Frau Heinrich schüttelt den Kopf. »Dadurch wird
es auch nicht besser. Du fluchst noch immer.«

Sofie schüttelt den Kopf. »Nein, das ist geflüchelt.
Weil es leise ist.«
Frau Heinrich lacht. »Immer hast du Ausreden.«
Katja und Olli kommen angerannt.
Sie pusten und sind ganz außer Atem.
»Da sind die beiden ja. Jetzt mußt du nicht mehr
schimpfen«, sagt Frau Heinrich.
»Aber vielleicht schimpfeln«, sagt Sofie.
Ganz schnell hält Frau Heinrich Sofie den Mund
zu.

Sofie verstellt sich

Im Turnen ist Sofie nicht so gut.
Am wenigsten mag sie Ballspiele.
Die andern in der Klasse sind fast alle größer und
kräftiger.
Da kommt sie schlecht weg.
Jedesmal wird sie ausgeschimpft:
»Spiel doch richtig!«
»Warum hast du mir den Ball nicht
zugeschmissen!«
»Du bist eine Flasche, Sofie!«

Eine Flasche möchte Sofie nicht sein.
Also hat sie sich was ausgedacht.
Sie geht vor der Stunde zu ihrer Turnlehrerin, zu
Frau Kleiber, zeigt auf ihr dünnes Bein und sagt:
»Ich kann nicht mitmachen. Ich hab' da
Schmerzen.«
»Tut dir das Bein richtig weh?« erkundigt sich
Frau Kleiber.
Sofie nickt sehr eifrig.
»Dann ist es besser, du spielst nicht mit.«
Sofie freut sich, daß es so gut geklappt hat.
Von da an hat sie im Turnen oft Beinweh.

Aber Frau Kleiber hat es ihr doch nicht so ganz
geglaubt.
Beim Abendessen fragt Mutter:
»Was ist eigentlich los mit deinem Bein? Frau
Kleiber hat mich angerufen. Früher hast du da
öfter mal Schmerzen gehabt, aber die sind doch
schon lange weg.«
Sofie ist ein bißchen verlegen, sagt aber: »Jetzt tun
die eben wieder weh.«
»Und immer nur, wenn Turnen ist?« fragt Mutter.
»Ja«, sagt Sofie.

»Das ist komisch.«

»Aber es ist wirklich so!« Sofie wird richtig heftig. Vater bittet sie, das Bein herzuzeigen.

Er streicht mit der Hand darüber, drückt und knufft und stellt am Ende fest: »Ich seh' da nichts.«

»Schmerzen kann man auch nicht sehen«, sagt Sofie.

»Solche bestimmt nicht.« Mutter ärgert sich.

»Das nächste Mal machst du auf jeden Fall beim Turnen mit«, bestimmt Vater.

»Aber die Kinder knuffen mich dauernd, und ich kann nicht richtig Ball spielen.«

»Deswegen hast du Schmerzen«, stellt Mutter fest.

»Nein. Die kommen schon immer vorher.«

»Weil du Angst hast«, sagt Mutter.

»Angst hat man mit dem Kopf«, antwortet Sofie trotzig. »Nicht mit dem Bein.«

»Vielleicht hast du sie aber mit dem Bein.« Mutter seufzt und meint dann: »Ich werd' mal mit Frau Kleiber reden.«

»Sag bloß nicht, daß ich das mit dem Bein erfinde!«

»Nein.« Mutter lacht. »Ich werd' Frau Kleiber einfach sagen, daß du ein bißchen kleiner und dünner bist als die andern.«

»Das ist doch Quatsch.«
»Aber es ist wahr, Sofie.«
»Meine Schmerzen sind auch wahr.«
Mutter sagt nichts mehr.
Sofie beschließt, das Beinweh bei der nächsten
Turnstunde erst einmal nicht zu haben.

Sofie will nicht neben Olli sitzen

Sofie findet Olli plötzlich blöd.
Sie möchte lieber neben Katja sitzen.
Aber Katja will nicht neben Sofie sitzen.
Sie sitzt gern neben Michael.
Sofie sagt zu Frau Heinrich: »Ich möchte neben
Katja sitzen.«
»Warum denn?« fragt Frau Heinrich.
Sofie sagt: »Ich mag Olli nicht mehr.«
»Will denn Katja neben dir sitzen?« fragt Frau
Heinrich.
»Nein«, antwortet Sofie.

Sie sehen Olli mit Michael auf der Mauer sitzen.
Die lassen ihre Beine baumeln.
»Du mußt eben warten, bis Katja auch will«, sagt
Frau Heinrich.
Nach einer Weile findet Sofie Olli wieder gut.
Da will Katja auf einmal doch neben Sofie sitzen.
Aber nun will Sofie nicht mehr.
»Du bist blöd«, sagt Katja.
»Du bist auch blöd«, sagt Sofie.

Nudeln auf italienisch

Sofie spielt allein auf der Straße vorm Haus.
Sie hat einen alten Topf. In dem rührt sie
Papierschnitzel und Gras.
Nach einer Weile kommt Serafina dazu.
Serafina wohnt auch im Haus.
Noch nicht lange.
Serafina guckt Sofie beim Spielen zu.
Sofie denkt:
Die hat beinahe so dreckige Knie wie ich.
Dann fragt sie: »Wie heißt du?«
»Serafina.«
Sofie lacht. »Das ist ein komischer Name.«
»Wie heißt du?« fragt Serafina.
»Sofie.«
Serafina lacht. »Das ist aber auch ein komischer
Name. Bei uns in Italien sagt man: Sofia.«
»Sofia? Das klingt ja wie Sofa.«
»Sofia ist aber ein schöner Name«, sagt Serafina.
»Find' ich eigentlich auch«, sagt Sofie.
»Was machst du denn mit dem Topf?«
»Ich koche Nudeln«, sagt Sofie.
»Oh, Spaghetti!« Serafina freut sich.
»Nein, Nudeln!«

Sofie rührt wie wild im Topf.
»Spaghetti!« Serafina ärgert sich und stampft mit
dem Fuß auf.

»Mir sind Nudeln lieber«, sagt Sofie.

»Mir sind Spaghetti lieber«, sagt Serafina.

Sofie steht auf.

Serafina weicht einen Schritt zurück.

Sie denkt: Vielleicht haut Sofie.

Aber Sofie sagt: »Ich finde Spaghetti ganz gut. Mit Tomatensoße.«

»Siehst du«, sagt Serafina. Sie freut sich.

»Aber dann mußt du Nudeln auch gut finden«, sagt Sofie.

»Nein«, erklärt Serafina.

»Du bist blöd«, sagt Sofie. »Dann können wir nicht miteinander spielen.«

Sie rennt mit ihrem Topf weg.

Serafina läuft ihr hinterher.

Sie ruft: »Aber Spaghetti sind doch auch Nudeln!«

»Nein!« schreit Sofie.

»Doch!« schreit Serafina. »Die heißen bloß italienisch so.«

Sofie dreht sich um, bleibt stehn.

»Also gut«, sagt sie, »dann kochen wir Nudeln, die italienisch heißen.«

Sofie hat einen neuen Pullover

Oma hat Sofie einen Pullover geschenkt.
Er ist knallrot und hat einen Rollkragen.
Sofie findet den Pullover schön.
Die werden in der Schule staunen!
Auf dem Stuhl sitzt sie ganz gerade, damit man
den Pullover auch gut sieht.
In der Pause spielt sie nicht mit, damit der Pullover
nicht schmutzig wird.
Aber keiner sagt etwas, nicht mal Frau Heinrich.

Am nächsten Tag will sie den Pullover nicht mehr
anziehen.
»Du spinnst wohl«, sagt Sofies Mutter.
»Nein, ich spinne nicht«, sagt Sofie. »Keiner mag
den Pullover.«
»Wieso?« fragt Mutter.
»Keiner hat was gesagt.«
»Hör mal«, sagt Mutter, »du hast mir doch
erzählt: Olli hat so schöne neue Stiefel. Hast du
ihm was dazu gesagt?«
»Nein«, sagt Sofie.

Sofie und Olli holen Axel, Renate und den dicken Bernd

Sofie und Olli haben Angst vor dem Heimweg.
Gestern waren vor dem Fotoladen zwei Jungen.
Die haben Sofie und Olli geärgert und geboxt.
»Olli, was sollen wir tun?«
»Ich weiß was«, sagt Olli.

Er holt Axel, Renate und den dicken Bernd aus der
zweiten Klasse.
Jetzt sind sie fünf.
Vor dem Fotoladen warten die beiden Jungen
wieder.
Auf einmal drehn sie sich um und gucken ins
Schaufenster.
Sofie ruft: »Bäh!«
»Nicht!« sagt Olli. »Die können auch Verstärkung
holen.«
Bernd lacht. »Aber heute sind die mal die
Dummen.«

Sofie muß aufs Klo

»Sofie, rutsch nicht immer so hin und her«, sagt
Frau Heinrich.
Aber Sofie rutscht weiter hin und her.
»Mußt du aufs Klo?« fragt Frau Heinrich.
Sofie nickt.
»Dann geh doch!«
Sofie schüttelt den Kopf. »Auf dem Klo stinkt es.«
Frau Heinrich lacht. »Das ist euer Gestank.«
»Wir stinken nicht«, brüllt Sofie.
»Ich auf jeden Fall nicht«, schreit Olli.
»Wenn das Klo nicht sauber ist, stinkt es eben.«
»Das Klo ist nicht sauber«, sagt Sofie.
»Dann müssen alle darauf achten, daß es sauber
ist«, sagt Frau Heinrich.
»Ich achte darauf«, ruft Olli.
»Ich auch«, rufen alle durcheinander.
»Dann weiß ich nicht, warum das Klo stinkt«, sagt
Frau Heinrich.

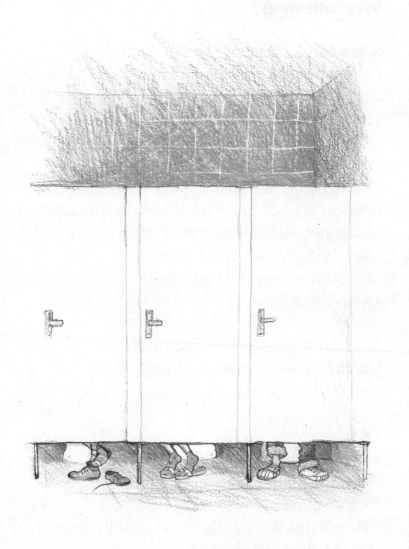

Wer hilft wem?

Sofies Mutter liegt im Bett und hat Fieber.
Der Doktor kommt und stellt fest, daß sie nicht
aufstehen darf.
Trotzdem rennt sie in der Wohnung rum.
»So wirst du nie gesund«, schimpft Sofies Vater.

Er bittet Sofie und Klemens, soviel wie möglich
selbst zu machen und Mutter in Ruhe zu lassen.
»Ihr könnt euch mal euer Brot selber streichen.
Oder die Suppe selber wärmen.«
»Natürlich«, antwortet Klemens.
»Klar«, sagt Sofie.

Aber dann schaltet Sofie den Herd nicht aus.
Und Klemens schmeißt zwei Teller runter.
Und die Mutter saust wieder rum.

»Warum bleibst du eigentlich nicht zu Hause,
wenn Mama krank ist?« fragt Sofie ihren Vater.
»Einen Tag hab' ich ja freibekommen.«
»Aber Mama ist mehrere Tage krank.«
»Mehr darf ich nicht. Es ist so geregelt, Sofie.«
»Das ist aber gemein geregelt.«

»Du kannst auch nicht einfach die Schule schwänzen«, erklärt Vater.

»Mach' ich aber morgen, um der Mama zu helfen.«

»Dann kriegst du Ärger. Und wir auch.«

Sofie setzt sich aufs Sofa und denkt nach. Nach einer Weile sagt sie: »Dann darf Mama eigentlich gar nicht krank werden!«

»Du hast recht«, sagt Vater. »Doch du kannst ihr ja ein bißchen helfen.«

»Warum ist das so?« fragt Sofie.

Vater versucht es ihr zu erklären:

»Weil Tausende von Menschen miteinander leben und arbeiten. Da merkt dann jeder, daß einer fehlt. Im Büro oder in der Fabrik. Oder in der Schule. So muß jetzt ein anderer Lehrer Mutters Klasse übernehmen.«

»Ob der das gern tut?« fragt Sofie.

»Vielleicht so gerne wie du«, antwortet Vater.

»Ui!« Sofie legt den Finger an die Nase. »Dann möchte ich jetzt kein Kind in Mamas Klasse sein.«

»Ach, weißt du«, sagt Vater, »die helfen Mutter ganz gern, weil sie auch schon für die andern eingesprungen ist.«

In dem Augenblick ruft Sofies Mutter aus dem Schlafzimmer:

»Du hast doch den Tisch decken wollen, Sofie.«

»Ui!« schreit Sofie wieder und beeilt sich.

Olli kommt auf eine andere Schule

Olli wohnt nicht weit weg von Sofie.
Manchmal kommt er mit seinem kleineren Bruder
Michael zum Spielen.
Olli ist Sofies bester Freund.
Nur wenn sie Krach haben, ist er das nicht mehr.
Dann meint sie: »Hansi ist eigentlich mein bester
Freund.«
Dabei hat sie mit Hansi noch viel mehr Krach,
und er geht nicht mal in ihre Klasse.

Kurz vor den Ferien sagt Olli: »Ich muß weg aus
unserer Schule. Auf eine andere.«
»Du spinnst.« Sofie kann es nicht glauben.
»Aber es stimmt.«
Olli heult gleich los.
Sofie denkt, daß sie auch heulen muß.
»Warum denn?« fragt sie. Sie spürt einen
Schluchzer im Hals.
»Ich soll in eine Schule, auf der ich auch spielen
kann, nicht nur lernen.«
»Da gehe ich auch hin. Das ist prima«, sagt Sofie.
»Frag mal deine Eltern.« Olli wischt sich die
Tränen aus dem Gesicht.

Sofie fragt gar nicht erst. Sie bestimmt, daß sie auf Ollis Schule gehen wird.

Am Abend sagt sie: »Ich geh' jetzt dann auf Ollis Schule. Die ist besser. Da kann man spielen.«

Sofies Mutter ist überrascht. Erst nach einer Weile sagt sie: »Ich weiß, daß Olli die Schule wechselt. Ich hab' bloß Angst gehabt, daß du traurig sein wirst, wenn du es erfährst. Darum wollte ich es dir erst am Schluß der Ferien sagen. Aber jetzt weißt du's ja.«

»Ich will da hin, mit dem Olli«, sagt Sofie.

Sofies Vater schüttelt den Kopf. »Das kannst du nicht.«

»Das kann ich doch. Ich bin nicht blöder als der Olli.«

Sofies Mutter erklärt:

»Aber der Olli lernt viel schwerer als du. Er kann nicht so aufpassen. Deswegen ist diese andere Schule für ihn besser.«

»Ich kann auch überhaupt nicht aufpassen«, sagt Sofie.

»Bisher schon.«

»Jetzt nicht mehr!«

»Trotzdem bleibst du auf deiner Schule. Denk mal, was Frau Heinrich sagen würde.«

»Das ist mir Wurscht!« Sofie stößt den Stuhl um, rennt in ihr Zimmer.

Dort kann sie weinen. Sie kann sich gar nicht vorstellen, nicht mehr mit Olli in die Schule zu gehen.

Ihr fällt ein, daß vielleicht auch Katja auf die andere Schule gehen wird.

Sie läuft zurück zu den Eltern und fragt: »Und die Katja?«

»Die bleibt natürlich«, sagt Sofies Mutter.

Sofie ist nicht zufrieden. »Dann hab' ich überhaupt keinen Freund mehr. Nicht einen einzigen.«

»Du wirst schon einen finden.«

»Ich will aber gar keinen. Außer dem Olli.«

»Gibt es in deiner Klasse denn keine netten Jungen?«

»Die sind alle doof.«

Sofies Mutter denkt nach.

Dann sagt sie: »Von Olli hast du auch oft behauptet, daß er doof ist.«

Sofie schüttelt wild den Kopf. »Der war aber anders doof als die andern.«

Sofies Vater steht auf und streichelt Sofie über den Kopf.

Dann sagt er:

»Du weißt ja gar nicht, ob die andern Jungen nicht auch anders doof sein können. So wie dein Olli.«

Sofie sagt gar nichts mehr.

Sie ist schrecklich traurig.

Morgen muß sie das alles mit der Katja besprechen.

Sofie spielt mit einem Wort

Sofie sitzt auf dem Mäuerchen und denkt nach.
»Heute spiele ich nicht mit«, sagt sie zu Katja und
Olli.
Es ist der letzte Schultag vor den großen Ferien.
»Aber mit mir kannst du dann nicht mehr in der
Pause spielen«, sagt Olli. »Ich komme doch in die
andere Schule.«
»Trotzdem!« Sofie hat einfach keine Lust. Sie hat
Falten auf der Stirn und zieht eine Schnute. Sie
muß nämlich nachdenken.

Plötzlich steht sie auf und rennt zu Frau Heinrich.
»Du hast es aber wichtig, Sofie«, sagt Frau
Heinrich.
Sofie nickt und fragt: »Ist durchfallen und
Durchfall ein Wort?«
Frau Heinrich lacht. »Du hast Einfälle, Sofie.«
Sofie guckt Frau Heinrich an, ohne mitzulachen.
»Also ist es ein Wort?« fragt sie.
Frau Heinrich redet ganz ruhig.
Sie möchte den Unterschied zwischen den beiden
Wörtern Sofie genau erklären:
»Wenn einer in der Schule durchfällt, bleibt er

sitzen, bleibt er in seiner alten Klasse. Wenn er
Durchfall hat, ist er krank. Das hat mit durchfallen
gar nichts zu tun. Verstehst du mich, Sofie, es sind
zwei Wörter mit verschiedenen Bedeutungen.
Aber eigentlich sind sie ein Wort.«
»Aha«, nickt Sofie. »Wenn die Schule krank ist,
fallen Kinder durch.«
Frau Heinrich schüttelt den Kopf. »Eine Schule
kann nicht krank werden.«
Sofie läßt nicht locker. »Aber Kinder fallen durch,
und dann hat die Schule Durchfall.«
»Und wenn du mal Durchfall hast, Sofie?« Frau
Heinrich zieht ein verzweifeltes Gesicht.
»Dann bleibe ich nicht sitzen.«
»Hast du eine Ahnung, wie lang du sitzen bleiben
mußt.«
Frau Heinrich lacht wieder.
Aber Sofie versteht nichts. »Noch länger als eine
Klasse?«
»Ich meine, auf dem Klo, Sofie. Wenn du
Durchfall hast.«
»Ui!« brüllt Sofie.
»Siehst du«, sagt Frau Heinrich, »so kann es einem
gehn, wenn man mit Wörtern spielt.«

Wie dieses Buch entstanden ist

Es fing so an: Ich bekam einen Brief von Leuten, die ich gar nicht kannte. Sie schrieben mir: Wir machen eine neue Fibel. Willst du mitmachen?
Ich dachte mir: Die spinnen ja. Soll ich womöglich Wörter in Schönschrift schreiben? Bei meiner Krakelei wird kein Kind lesen lernen.
Ich schrieb darum zurück: Nein! Ich bin kein Schriftenmaler, und ich bin auch kein Lehrer. Ich bin Schriftsteller.
Sofort bekam ich Antwort: Eben! Du bist Schriftsteller, und du sollst für unsere Fibel Geschichten schreiben. Und wenn dir mehr Geschichten einfallen, als in die Fibel reinpassen, dann kannst du noch ein Buch machen. In der Fibel schreiben wir dann: Ihr könnt noch mehr solcher Geschichten in einem Buch lesen.
Ist das gut?
Das fand ich auch.
Ich schrieb die Geschichten von Sofie.
Es wurden immer mehr. Ein paar stehen in der Fibel*, und alle zusammen stehen in diesem Buch.

Peter Härtling

---

* Die »Fibel« ist ein Leselehrgang und heißt »Leseanfang – Schreibanfang« und ist erschienen im Hirschgraben Verlag, Frankfurt a. M.